Ki... e

zur

Guten Nacht

mit vielen bunten Bildern

paletti

Das Gebet des Herrn

Vater unser, der du bist im Himmel.
Geheiligt werde dein Name.
Dein Reich komme.
Dein Wille geschehe,
wie im Himmel, also auch auf Erden.
Unser täglich Brot gib uns heute.
Und vergib uns unsere Schuld,
wie auch wir vergeben unseren Schuldigern.
Und führe uns nicht in Versuchung,
sondern erlöse uns von dem Übel.
Denn dein ist das Reich und die Kraft
und die Herrlichkeit
in Ewigkeit.
Amen.

Was ist ein Gebet und warum beten wir?

Eines vorweg: Gebete sind keine Zaubersprüche. Gott hört nicht besser auf das, was du ihm sagen willst, nur weil du es mit besonderen Worten sagst. Du kannst ihm das, was dir wichtig ist, auch mit deinen ganz eigenen Worten sagen. Aber manche Dinge kann man sich beispielsweise besser merken, wenn sie schön gereimt sind.

Noch etwas musst du wissen: Gebete funktionieren nicht immer sofort, denn Gott ist ja kein Versandhaus, wo man alles zu jeder Zeit bestellen kann. Mit einem Gebet sprechen wir zu Gott – und meistens bitten wir ihn dabei um etwas. Doch wir fordern nicht, wir bestellen nicht – wir bitten. Und wenn wir Gott um etwas bitten, wissen wir in diesem Moment auch, was wichtig für uns ist (oder hast du schon mal für ein neues T-Shirt gebetet? Das klingt doch eher albern, oder?).

Wenn wir mit Gott sprechen, so spricht er also auch zu uns, selbst wenn wir ihn nicht hören – denn er hilft uns, unsere Gedanken zu ordnen. Ein Gebet, ein tägliches Wort zu Gott ist darum nie verschenkte Zeit.

Lieber Gott, nun schlaf ich ein,
schicke mir ein Engelein,
das an meinem Bettchen kniet
und nach meinem Herzchen sieht.

Hilf, Herr, uns durch die Zeiten
und mache fest das Herz –
geh selber uns zur Seiten
und führ uns himmelwärts.

Des Morgens, wenn ich früh aufsteh,
des Abends, wenn ich schlafen geh,
sehn meine Augen, Herr, auf dich,
Herr Jesu, dir befehl ich mich.

Herr, du hast mich heut bewacht,
beschütz mich auch in dieser Nacht.
Du sorgst für alle, groß und klein,
drum schlaf ich ohne Sorgen ein.

Der Mond ist aufgegangen,
die gold'nen Sternlein prangen
am Himmel hell und klar.
Der Wald steht schwarz und schweiget
und aus den Wiesen steiget
der weiße Nebel wunderbar.

So legt euch denn, ihr Brüder,
in Gottes Namen nieder;
kalt ist der Abendhauch.
Verschon uns Gott mit Strafen
und lass uns ruhig schlafen
und unsern kranken Nachbarn auch!

Schon glänzt der gold'ne Abendstern,
gute Nacht, ihr Lieben, nah und fern,
schlaft ein in Gottes Frieden!
Die Blume schließt die Blüte zu,
die Vögel gehen all zur Ruh,
bald schlummern alle Müden.

Du aber schläfst und schlummerst nicht,
dir, Vater, ist das Dunkel Licht,
dir will ich mich vertrauen.
Hab, Vater, auf uns alle Acht,
lass uns nach einer guten Nacht
die Sonne wieder schauen.

Du lieber Gott, aus Herzensgrund,
ich bitte dich: Mach mich gesund!
Schick' mir ein Silberengelein,
auf dass es seine Hände fein
auf meine Stirn leg und mein Herz,
dann schwinden Fieber, Angst und Schmerz.
Und kann ich aus dem Bettchen springen,
will ich dir fromm ein Danklied singen.

Lieber Gott, kannst alles geben,
gib auch, was ich bitte nun:
Schütze diese Nacht mein Leben,
lass mich sanft und sicher ruhn.
Sieh auch von dem Himmel nieder
auf die lieben Eltern mein,
lass mich alle Morgen wieder
fröhlich und dir dankbar sein.

Aus dem Himmel ferne,
wo die Englein sind,
schaut doch Gott so gerne
her auf jedes Kind.

Hört nun seine Bitte
treu bei Tag und Nacht,
nimmt's bei jedem Schritte
väterlich in Acht.

Abends, wenn ich schlafen geh,
vierzehn Engel bei mir stehn,
zwei zu meiner Rechten,
zwei zu meiner Linken,
zwei zu meinen Häupten,
zwei zu meinen Füßen,
zweie, die mich decken,
zweie, die mich wecken,
zweie, die mich weisen
ins himmlische Paradeischen.

Müde bin ich, geh zur Ruh,
schließe beide Äuglein zu;
Vater, lass die Augen dein
über meinem Bette sein!

Hab ich Unrecht heut getan,
sieh es, lieber Gott, nicht an!
Deine Gnad und Jesu Blut
macht ja allen Schaden gut.

Alle, die mir sind verwandt,
Gott, lass ruhn in deiner Hand.
Alle Menschen, groß und klein,
sollen dir befohlen sein.

Kranken Herzen sende Ruh,
nasse Augen schließe zu;
lass den Mond am Himmel stehn
und die stille Welt besehn!

Luise Hensel

Dein ist der Tag, Herr,
und dein ist die Nacht.
Dein ist mein Leben
mit Weinen und Lachen.
Lass mich nun schlafen
und gib auf mich Acht,
schenke mir morgen
ein gutes Erwachen.
Amen.

Zur Ruh will ich mich legen,
Herr, gib mir deinen Segen
und lass mich nicht allein.
Dann schlaf ich ohne Sorgen
vom Abend bis zum Morgen,
so wie im Nest ein Vögelein.
Amen.

Lieber Gott, ich schlafe ein,
lass mich ganz geborgen sein.
Die ich liebe, schütze du.
Decke allen Kummer zu.
Kommt der helle Morgenschein,
lass mich wieder fröhlich sein.
Amen.

Lieber Gott, ich danke dir,
bleib auch diese Nacht bei mir.
Amen.

Herr, der Tag ist nun zu Ende.
Dankend falte ich die Hände.
Du allein kannst alles geben;
schütze diese Nacht mein Leben.
Amen.

Was schön heut war,
es kam von dir.
Was unrecht war,
vergib es mir.
Lass mich bei dir geborgen sein.
In deinem Namen
schlaf ich ein.
Amen.

Eh' der Tag zu Ende geht,
spreche ich mein Nachtgebet,
danke Gott für jede Gabe,
die ich heut empfangen habe.
Bitte Gott für diese Nacht,
dass er mich im Schlaf bewacht;
dass kein böser Traum mich weckt
und das Dunkel mich nicht erschreckt.
Kommt der helle Morgenschein,
lass mich wieder fröhlich sein.
Amen.

Unser Abendgebet steige auf zu dir, Herr,
und es senke sich auf uns herab dein Erbarmen.
Lass, wenn des Tages Schein vergeht,
das Licht deiner Wahrheit uns leuchten.
Geleite uns zur Ruhe der Nacht und
bleibe bei uns jetzt und in Ewigkeit.

Von Gottes Engeln unsichtbar umgeben,
so lege ich mich zu Bett und schlafe ein.
Mein Gott, ich danke dir für dieses Leben,
ich will bei Tag und Nacht dein Eigen sein.

Bevor des Tages Licht vergeht,
o Herr der Welt, hör dies Gebet:
behüte uns in dieser Nacht
durch deine große Güt' und Macht.

Hüllt Schlaf die müden Glieder ein,
lass uns in dir geborgen sein,
und mach am Morgen uns bereit
zum Lobe deiner Herrlichkeit.

Dank dir, o Vater, reich an Macht,
der über uns voll Güte wacht
und mit dem Sohn und Heil'gen Geist
des Lebens Fülle uns verheißt.

Der Herr hat seinen Engeln befohlen,
dass sie dich behüten auf allen deinen Wegen.

Psalm 91,11

Zur Nacht, zur Ruh,
deckst du mich zu.

Schlaf, Kindlein, feste!
Wir kriegen fremde Gäste.
Die Gäste, die da kommen drein,
das sind die lieben Engelein.
Schlaf, Kindlein, feste!

Wiegenlied

Guten Abend, gute Nacht,
mit Rosen bedacht,
mit Näglein besteckt,
schlupf unter die Deck;
morgen früh, wenn Gott will,
wirst du wieder geweckt.

Da steht ein Baum,
dahin leg ich meinen Traum,
dahin leg ich meine Sünd.
Dann schlaf ich mit dem Jesuskind,
mit Josef und Maria rein
ganz sicher ein. Amen.

In mein Bettchen leg ich mich,
meinem Gott befehl ich mich.
Alle Abend, alle Morgen
wird mein Herrgott für mich sorgen.
Amen.

Gott, der heute mich bewacht,
beschütze mich auch diese Nacht!
Ich bin dein Kind, du liebst auch mich,
ich danke dir und hoff' auf dich.

Wenn die Kinder schlafen ein,
wachen auf die Sterne;
und es steigen Engelein
nieder aus der Ferne;
halten wohl die ganze Nacht
bei den frommen Kindern Wacht.

Die Sonne hat uns gute Nacht gegeben,
die Schafe ziehen heim ins stille Haus,
kein Vogel mag den Flügel mehr erheben,
sie schlafen alle, und ihr Lied ist aus.
Nun leg auch ich mich hin zur Ruh
und schließ die müden Augen zu.
Ich bin noch schwach, ich bin noch klein,
du guter Gott wirst bei mir sein;
dann fürcht ich nicht die finstre Zeit,
ich weiß, mir widerfährt kein Leid.
Dann träum ich, was auch kommen mag,
von einem schönen, gold'nen Tag.

Bevor der Tag zu Ende geht,
hör, lieber Gott, noch ein Gebet.
Für alles Gute dank ich dir.
War ich nicht brav, verzeih es mir.
Amen.

Guter Vater im Himmel, du,
meine Augen fallen zu.
Will mich in mein Bett nun legen,
gib mir nur noch deinen Segen.
Lieber Gott, ich bitte dich –
bleib bei mir und beschütze mich.

In der langen, dunklen Nacht,
hältst du, Gott-Vater, bei mir Wacht.
Hab Dank für jede Gabe,
die ich heut bekommen habe.
War ich auch böse oder schlecht;
ich weiß, meist war es nicht gerecht.
Vergib mir und behüte mich,
ja, darum bitt ich herzlich dich.

Weißt du, wie viel Sternlein stehen
an dem blauen Himmelszelt?
Weißt du, wie viel Wolken gehen
weithin über alle Welt?
Gott, der Herr, hat sie gezählet,
dass ihm auch nicht eines fehlet
an der ganzen großen Zahl,
an der ganzen großen Zahl.
Weißt du, wie viel Mücklein spielen
in der heißen Sonnenglut,
wie viel Fischlein sich auch kühlen
in der hellen Wasserflut?
Gott, der Herr, rief sie mit Namen,
dass sie alle ins Leben kamen,
dass sie nun so fröhlich sind,
dass sie nun so fröhlich sind.
Weißt du, wie viel Kindlein frühe
stehn aus ihrem Bettlein auf,
dass sie ohne Sorg und Mühe
fröhlich sind im Tageslauf?
Gott im Himmel hat an allen
seine Lust, sein Wohlgefallen,
kennt auch dich und hat dich lieb,
kennt auch dich und hat dich lieb.

Wilhelm Hey

Nun wollen wir singen das Abendlied

Nun wollen wir singen das Abendlied
und beten, dass Gott uns behüt.
Es weinen viel Augen wohl jegliche Nacht,
bis morgens die Sonne erwacht.
Es leuchten viel Sterne wohl jegliche Nacht.
Der Vater im Himmel hält Wacht.

aus dem Odenwald

Gott, lass dein Angesicht über uns leuchten!
Du legst uns größere Freude ins Herz,
als andere haben bei Korn und Wein in Fülle.
In Frieden leg ich mich nieder und schlafe ein;
denn du allein lässt mich sorglos schlafen.

Psalm 4, 7–9

Behüt die Kinder in der Welt,
behüt die Tiere auf dem Feld!
Behüt sie alle, groß und klein,
und lass sie friedlich schlafen ein!

Engel Gottes, Hüter mein,
lass mich dir befohlen sein!
Heut diesen Tag, das bitt ich dich,
erhalte, leit, beschütze mich,
behüte mich vor jedem Spott,
führ mich zum Himmel
und zu Gott.

Und auf ein jedes Kind
ein Englein gibt Acht
und bleibt an seinem Bettchen,
wenn's schläft in der Nacht.

Und wenn's Kind größer wird,
fromm, brav und treu,
so bleibt dasselbe Englein
sein Lebtag lang dabei.

Guter Gott, behüte alle, die heute Nacht
wach liegen, weinen oder über andere wachen;
und lass deine Engel die beschützen, die schlafen.
Tröste die Kranken, gib Ruhe den Erschöpften,
segne die Sterbenden und sei Schutz
den Glücklichen um deiner Liebe willen.

Augustinus

O Gott, lege mir deine Hände unter mein Haupt
und lass dein Licht über mir leuchten.
Von Kopf bis Fuß behüte mich
der Segen deiner Engel
und meine Seele halte in Frieden
der Segen deines Sohnes.
In jeder dunklen Stunde,
ob bei Tag oder bei Nacht,
beschütze mich der Segen deines Geistes,
bis strahlend schön das Licht deiner Wahrheit
das Dunkel der Nacht besiegt.
Amen.

Du Gott, mit deiner starken Macht,
beschütze mich in dieser Nacht.
Amen.

Will mich in mein Bettchen legen,
gib mir, Herr, nun deinen Segen.
Lieber Gott, ich bitte dich,
bleib bei mir, hab Acht auf mich.